# 「五つの敬語」第二巻

## 尊《そん》敬《けい》語《ご》

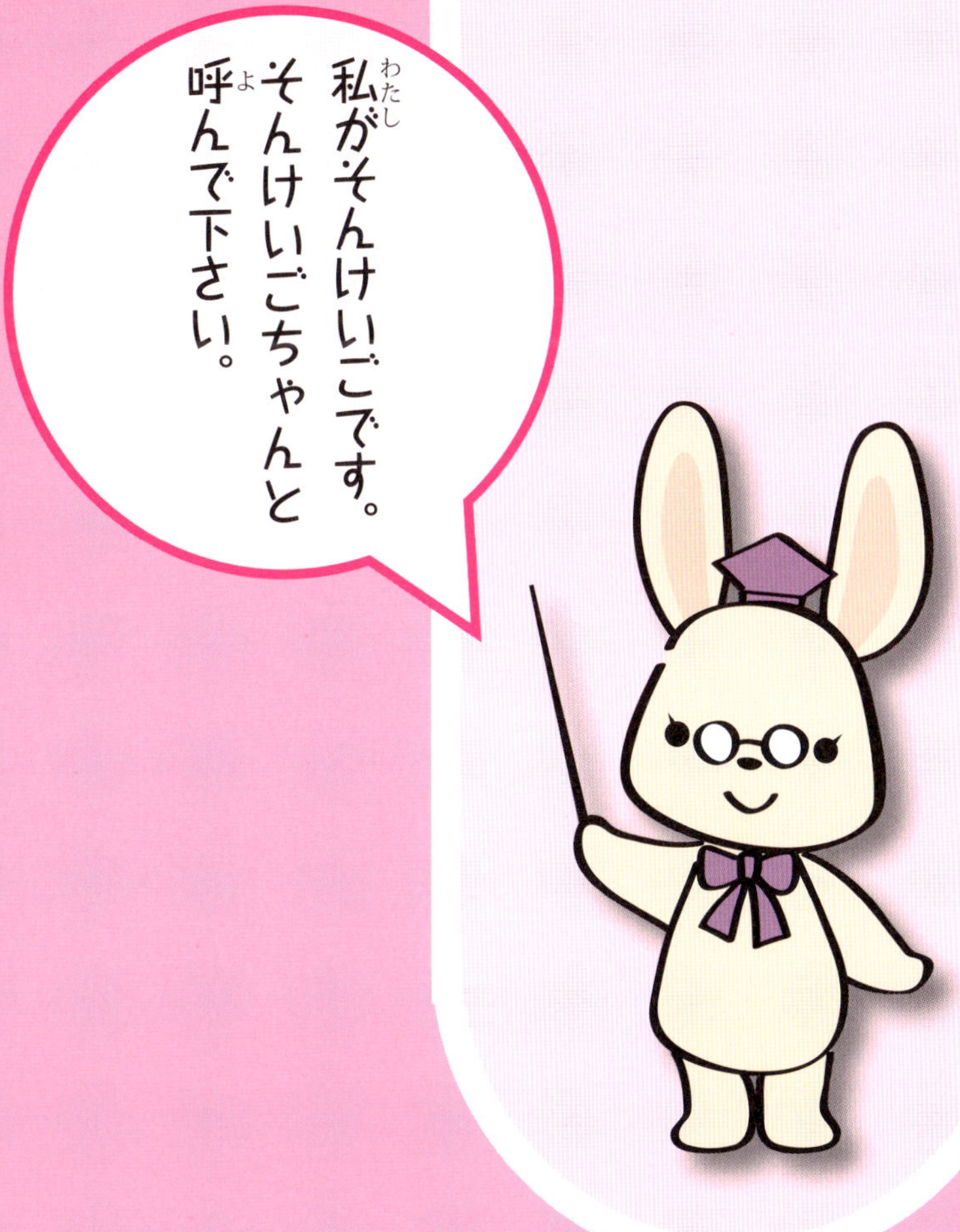
私《わたし》がそんけいごです。そんけいごちゃんと呼《よ》んで下さい。

# 「五つの敬語」第二巻

## 尊敬語《そんけいご》

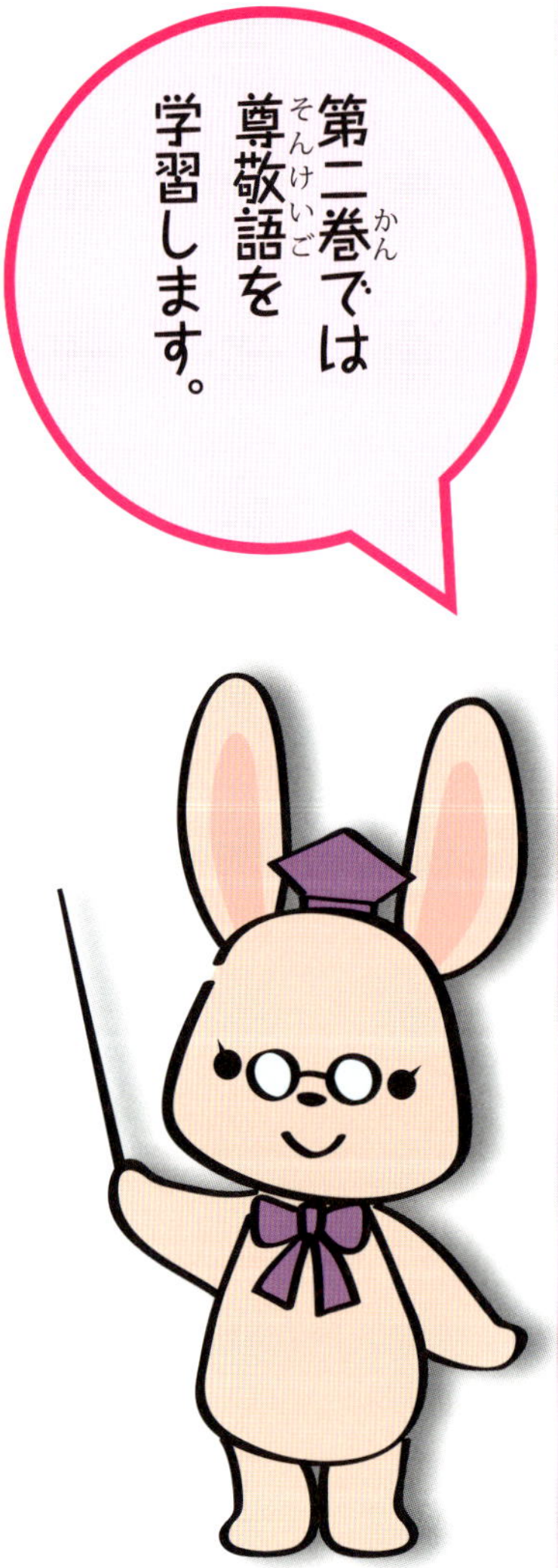
第二巻《かん》では
尊敬語《そんけいご》を
学習します。

本書で○×△などの記号で説明している部分がありますが、これは「正しい」「誤《あやま》り」などを明確《めいかく》に指摘《してき》するものではなく、敬語《けいご》の基本《きほん》の使い方として適切《てきせつ》なもの、そうではないものを示《しめ》しています。

敬語は、相手に対する敬意《けいい》を示す言葉で自己表現《じこひょうげん》となりますので、完全な正解《せいかい》、不正解《ふせいかい》という判断《はんだん》はなじみません。

特定形という
動詞《どうし》の変化を
学びましょう。

# 「尊敬語《そんけいご》」は、相手を「上げる」言葉づかい

「尊敬語」とは、相手側、あるいは第三者（自分でも相手でもない人）の行動などについて、その人を「上げて」述《の》べる、相手を「上げて」言うことです。このため主語は、相手（相手側）あるいは第三者になります。
※主語は省略《しょうりゃく》されていることもあります。

# 「常体語《じょうたいご》」から「尊敬語《そんけいご》」の「特定形」へ

「尊敬語」では、「常体語」（普通語）の言葉を特定の言葉に言いかえて表現《ひょうげん》する場合があります。基本的《きほんてき》な動詞《どうし》の「特定形」を学びましょう。

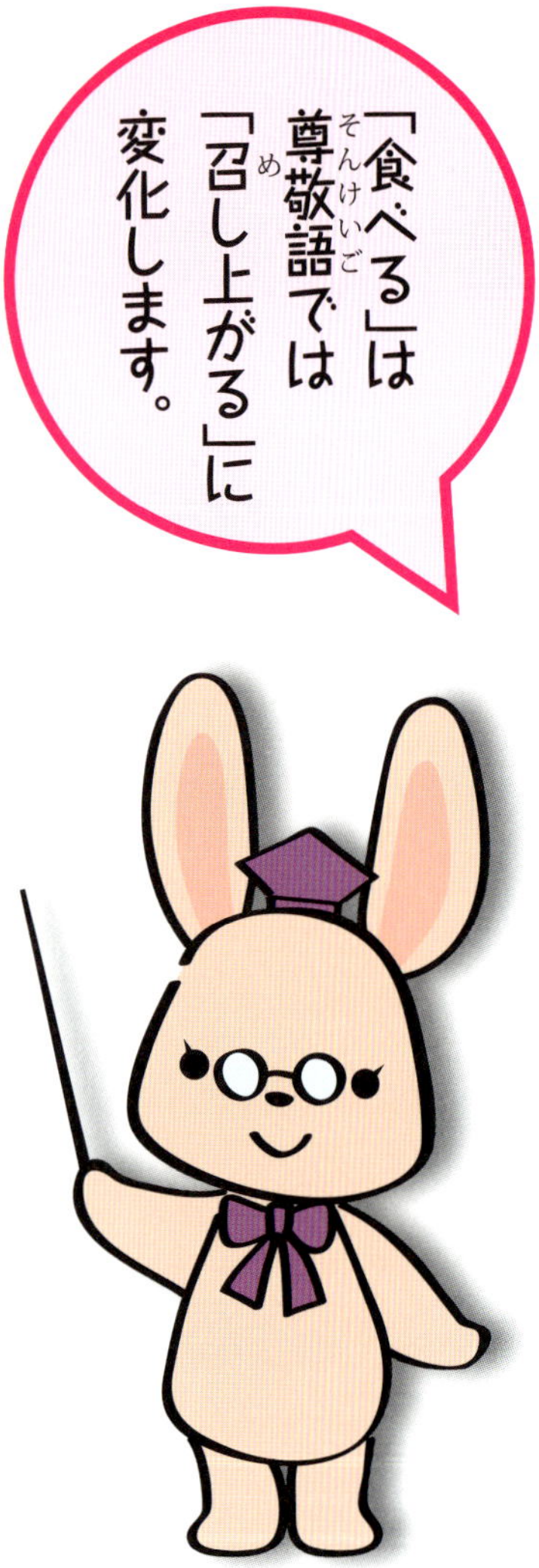
「食べる」は尊敬語《そんけいご》では「召《め》し上がる」に変化します。

**「いらっしゃる」**

「いらっしゃる」は、「いる」「行く」「来る」の三つの動詞《どうし》に共通する特定形です。意味が混乱《こんらん》しないように、主語や目的語をはっきりと伝えることが大切です。

●尊敬語「特定形」

常体語→尊敬語

「いる」→「いらっしゃる」

「行く」→「いらっしゃる」

「来る」→「いらっしゃる」「見える」

「言う」→「おっしゃる」

「する」→「なさる」

「くれる」→「下さる」

「食べる」→「召《め》し上がる」

# 「尊敬語《そんけいご》」の「特定形」
# 「いる（居《い》る）」→「いらっしゃる」

基本的《きほんてき》な動詞《どうし》「いる（居る）」を「尊敬語」の「特定形」である「いらっしゃる」に変化させた例を学習してみましょう。

「いる」は
尊敬語《そんけいご》では
「いらっしゃる」に
変化します。

校長

●尊敬語「特定形」：「いる（居る）」→「いらっしゃる」
常体語《じょうたいご》→尊敬語

「校長先生は、どこにいるか？」
「校長先生は、どこにいらっしゃいますか？」

「校長先生は、体育館にいる」
「校長先生は、体育館にいらっしゃる」
「校長先生は、体育館にいらっしゃいます」

## ●カンちがい「尊敬語《そんけいご》」「おる（居《お》る）」→「おられる」×

「いる（居る）」という動詞《どうし》を、「おる（居る）」という読みで使用し、「おられる」（尊敬語の一般形《いっぱんけい》、『……（ら）れる』P26）を「尊敬語」とする例が見られますが、これは敬語《けいご》としては正しくありません。「おる（居る）」は、自分の動作を「下げる」ときに使われる言葉です。

このため、相手や第三者に対して使うことは失礼にあたります。ですから「おる」を「尊敬語」にしようとして「おられる」とすることも正しい使い方ではありません。

**「おる」が使える例**

自分の動作を下げる「丁重語」（第四巻《かん》P16）では、使うことがあります。

「家におる」（常体語《じょうたいご》）→「家におります」とは、使えます。

「先生がおる」×

この言葉づかいは失礼にあたります。

「先生がおられます」×

先生を下げる言葉なので尊敬語になりません

「先生がいらっしゃいます」○

# 「尊敬語《そんけいご》」の「特定形」「行く」→「いらっしゃる」

基本的《きほんてき》な動詞《どうし》「行く」を「尊敬語」にするには、「特定形」の「いらっしゃる」を使います。

ただ、この「行く」を、「いらっしゃる」とすると、「居《い》る」の「いらっしゃる」とまぎらわしい感じを受けることがあります。

場所などの行先を表す言葉を文章に入れて使い、「居る」か「行く」か意味がはっきり分かる文章にしましょう。

「行く」は、
尊敬語《そんけいご》では
「いらっしゃる」
に変化します。

●尊敬語「特定形」：「行く」→「いらっしゃる」

常体語《じょうたいご》→尊敬語

「校長先生は、東京での会議に行く予定だ」→

「校長先生は、東京での会議にいらっしゃる予定です」

「コーチは、世界大会で来週からアメリカに行く」→

「コーチは、世界大会で来週からアメリカにいらっしゃる」

「市長が、野外活動センターへ行くそうだ」→

「市長が、野外活動センターへいらっしゃるそうです」

# 「尊敬語《そんけいご》」の「特定形」「来る」→「いらっしゃる」「見える」

基本的《きほんてき》な動詞《どうし》「来る」を「尊敬語」にするには、「特定形」の「いらっしゃる」を使います。

「来る」は、「行く」と反対の動作ですが、同じ「特定形」の「いらっしゃる」に変化するため、人物の立場、動きが「行く」なのか「来る」なのか、わからくなることがあります。

「来る」の「特定形」には、「見える」もあります。「行く」なのか「来る」なのか、分かりにくいような場合は、「見える」を使うと区別がしやすくなります。

## ●尊敬語「特定形」：「来る」→「いらっしゃる」「見える」

常体語《じょうたいご》→尊敬語

「町会長さんが運動会に来る」→

「町会長さんが運動会にいらっしゃる」

「町会長さんが運動会に見える」

「コーチは大会があるので練習には来ない」→

「コーチは大会があるので練習にはいらっしゃらない」

「コーチは大会があるので練習には見えない」

# 「尊敬語《そんけいご》」の「特定形」
# 「言う」→「おっしゃる」

基本的《きほんてき》な動詞《どうし》「言う」を「尊敬語」にすると、「特定形」の「おっしゃる」になります。

「言う」は
尊敬語《そんけいご》では
「おっしゃる」に
変化します。

●尊敬語「特定形」：「言う」→「おっしゃる」
常体語《じょうたいご》→尊敬語

「先生が、授業《じゅぎょう》の予定を言う」→
「先生が、授業の予定をおっしゃる」

「校長先生は、励《はげ》ましの言葉を言った」→
「校長先生は、励ましの言葉をおっしゃいました」

「社長が、注意点を言った」→
「社長が、注意点をおっしゃいました」

# 「尊敬語《そんけいご》」の「特定形」 「食べる」→「召《め》し上がる」

基本的《きほんてき》な動詞《どうし》「食べる」を「尊敬語」にすると、「特定形」の「召し上がる」になります。

**「食事、料理、飲み物にも」**

「召《め》し上がる」は、食べ物だけではなく、飲み物にも使います。お茶、ジュース、お酒などを「飲む」も、「召し上がる」と表現《ひょうげん》できます。

●尊敬語「特定形」:「食べる」、「飲む」→「召し上がる」

常体語《じょうたいご》→尊敬語

「お客様は、デザートを食べる」→

「お客様は、デザートを召し上がる」

「ゆっくり食べて下さい」→

「ゆっくり、召し上がってください」

「冷たいジュースを飲みますか」→

「冷たいジュースを召し上がりますか」

# 「尊敬語《そんけいご》」の「特定形」→「くれる」「下さる」

基本的《きほんてき》な動詞《どうし》「くれる」を「尊敬語」にすると、「特定形」の「下さる」になります。

**物だけではなく、援助《えんじょ》や好意にも使います**

「下さる」には、実際《じっさい》に物を与《あた》えられる意味と、応援《おうえん》や励《はげ》ましなどの好意を与えられるという二つの意味があります。

●尊敬語「特定形」：「くれる」→「下さる」
常体語《じょうたいご》→尊敬語

「伯父《おじ》が入学祝いをくれる」→
「伯父が入学祝いを下さる」

「伯母《おば》が私を励《はげ》ましてくれた」
「伯母が私を励まして下さった」

「校長先生がほめてくれた」
「校長先生がほめて下さった」

「下さる」は、物だけではなく応援《おうえん》や好意にも使うのですね。

# 「尊敬語《そんけいご》」の「一般形《いっぱんけい》」『「お」「ご」……になる』

「尊敬語」にするために、広く使える「一般形」と呼《よ》ばれる構文《こうぶん》があります。行動や動作を示《しめ》す言葉に『「お」「ご」……になる』を使う方法です。

「お読みになる」「ご利用になる」などです。

**「お」「ご」は、「美化語《びかご》」で学習した敬語《けいご》**
一般的《いっぱんてき》に名詞《めいし》の頭に、「お」あるいは「ご」を付けると敬語の「美化語」になります。
原則《げんそく》として「お」は和語、「ご」は漢語に付けます。
（第一巻《かん》P18〜P21）

●尊敬語「一般形」:『「お」「ご」……になる』

常体語《じょうたいご》→尊敬語

「先生が新聞を読む」→

「先生が新聞をお読みになる」

「お客様が出かける」→

「お客様がお出かけになる」

「お年寄《としよ》りが図書館を利用する」→

「お年寄りが図書館をご利用になる」

# ●カンちがい「尊敬語《そんけいご》」『「お」「ご」……する』は、「謙譲語《けんじょうご》」

「尊敬語」の「一般形《いっぱんけい》」、『「お」「ご」……になる』、とよく似《に》た構文で、『「お」「ご」……する』があります。『「お」「ご」……する』は、敬語の分類では、相手を上げる「尊敬語」ではなく、自分を下げる「謙譲語」（第三巻《かん》P26）となりますので注意しましょう。

「先生の荷物、ボクがお持ちします」
これは謙譲語です。

**「尊敬語《そんけいご》」と「謙譲語《けんじょうご》」**

「相手が持っていくか」ということをたずねる場合、「お持ちしますか」というのは敬語として正しくなく、「お持ちになりますか」が正しい使い方です。

●尊敬語「一般形」：『「お」「ご」……になる』

常体語《じょうたいご》→尊敬語

（相手が持つ動作）

「持つ」→「お持ちになる」（尊敬語）

●謙譲語「一般形」：『「お」「ご」……する』

常体語→謙譲語

（自分が持つ動作）

「持つ」→「お持ちする」（謙譲語）

# 「尊敬語《そんけいご》」の「一般形《いっぱんけい》」「(ら)れる」

動詞《どうし》に「れる」「られる」を付けるのも、「尊敬語」の「一般形」のひとつです。

尊敬語《そんけいご》では動詞《どうし》に「れる」「られる」を付けることもあります。

**「られる」は受身や可能《かのう》の意味と間違《まちが》えられやすい**

例えば、「来られる」には、「尊敬語《そんけいご》」としての「来られる」という意味の他に、可能であることを示《しめ》す「来ることができる」という意味と、「(訪ねて)来られる」という受身の意味もあります。意味を間違われないように主語や状況《じょうきょう》をはっきり示《しめ》す表現《ひょうげん》にすることが大事です。

郵 便 は が き

おそれいりますが切手をおはりください。

103-0001

〈受取人〉

東京都中央区日本橋小伝馬町9-10

株式会社 理論社

読者カード係 行

お名前（フリガナ）

ご住所 〒　　　TEL

e-mail

ご愛読ありがとうございます

## 読者カード

ご意見、ご感想、イラスト等、ご自由にお書きください。

読みいただいた本のタイトル

の本をどこでお知りになりましたか？

の本をどこの書店でお買い求めになりましたか？

の本をお買い求めになった理由を教えて下さい

齢　　歳　　●性別　男・女

職業　1. 学生（大・高・中・小・その他）　2. 会社員　3. 公務員　4. 教員
5. 会社経営　6. 自営業　7. 主婦　8. その他（　　　）

感想を広告等、書籍のＰＲに使わせていただいてもよろしいでしょうか？

（実名で可・匿名で可・不可）

ご協力ありがとうございました。今後の参考にさせていただきます。

いただいた個人情報は、お問い合わせへのご返事、新刊のご案内送付等以外の目的には使用いたしません。

●尊敬語「一般形」：「（ら）れる」
常体語《じょうたいご》→尊敬語

「先生が読む本」→
「先生が読まれる本」

「お年寄《としよ》りが利用する部屋」→
「お年寄りが利用される部屋」

「先生が家庭訪問《ほうもん》に来る」→
「先生が家庭訪問に来られる」

先生が家庭訪問に
来られる。

# 「尊敬語《そんけいご》」の「一般形《いっぱんけい》」「する」→「なさる」

「常体語《じょうたいご》」から「尊敬語」へ置きかえる語形（言葉の組み合わせ）「一般形」では、「……する」という動詞《どうし》は、「する」を「なさる」と変化させることで、「尊敬語」とすることができます。

「尊敬語《そんけいご》」の「一般形《いっぱんけい》」「……なさる」は、「……する」の形をした動詞についてだけ使えます。

「お」「ご」を付けることになじまない言葉は「尊敬語」には変化しません。例えば天気の「落雷《らくらい》する」は自然現象《げんしょう》なので「落雷なさる」とは変化しません。

●尊敬語「一般形」：「する」→「なさる」

常体語《じょうたいご》→尊敬語

「図書館を利用するみなさんへ」→

「図書館を利用なさるみなさんへ」

「校長先生が出席する」→

「校長先生が出席なさる」

# 「尊敬語《そんけいご》」の「一般形《いっぱんけい》」『「お」「ご」……だ（です）』

「常体語《じょうたいご》」から「尊敬語」への置きかえの語形「一般形」では、接頭語《せっとうご》（第一巻《かん》P18）の「お」あるいは「ご」を付け、語尾《ごび》（言葉の最後）に「だ」を付けると、「尊敬語」とする方法があります。「だ」は「丁寧語《ていねいご》」の「です」（第一巻P36）に変えて使うことが多くなっています。

●尊敬語「一般形」：『「お」「ご」……だ（です）』

常体語《じょうたいご》→尊敬語

「先生が新聞を読む」→

「先生が新聞をお読みだ」

「先生が新聞をお読みです」

「校長先生も参加する」→

「校長先生もご参加だ」

「校長先生もご参加です」

# ●カンちがい「尊敬語《そんけいご》」『「お」「ご」……だ（です）』が作れない言葉

和語、漢語でもすべての言葉に、「お」「ご」を付ければ「尊敬語」が作れるわけではありません。言葉を置きかえるか、「……する」を「なさる」「される」に変化させて「尊敬語」にします。

例えば「死ぬ」のような一般《いっぱん》に不幸なことや失敗の意味を持つ言葉は「お」「ご」を付けても「尊敬語」とはなりにくい傾向《けいこう》があります。

「死ぬ」→「お死になる」×

「お亡《な》くなりになる」、「亡くなられる」○

「失敗」→「ご失敗になる」×

「失敗なさる」、「失敗される」○

「運転する」→「ご運転になる」×

「運転なさる」○　「運転される」○

# 「尊敬語《そんけいご》」の「一般形《いっぱんけい》」「……くていらっしゃる」「……でいらっしゃる」

形容詞《けいようし》や形容動詞《けいようどうし》は、語によっては「お忙《いそが》しい」「ご立派《りっぱ》」のように、「お」「ご」を付けて「尊敬語」にすることができます。形容詞は「……くていらっしゃる」、形容動詞は「……でいらっしゃる」の形と合わせて使うこともできます。

**形容詞《けいようし》、形容動詞《けいようどうし》**

形容詞とは、「美しい」や「遠い」など、人や物を修飾《しゅうしょく》する名詞《めいし》に意味を加える言葉です。「□□い」が語の終わりに付く言葉です（「美しい海」「遠い国」など）。

形容動詞は、物事の性質《せいしつ》や状態《じょうたい》を示《しめ》す言葉で、一般的《いっぱんてき》に「だ」で終わる言葉です。

●尊敬語「一般形」：「…くていらっしゃる」
：「…でいらっしゃる」

常体語《じょうたいご》→尊敬語

■形容詞

「美しい」→「お美しくていらっしゃる」

「忙しい」→「お忙しくていらっしゃる」

■形容動詞

「多忙《たぼう》だ」→「ご多忙でいらっしゃる」

「立派《りっぱ》だ」→「ご立派でいらっしゃる」

# 尊敬語を作る文字「貴《き》」「尊《そん》」「玉《ぎょく》」「令《れい》」「高《こう》」「芳《ほう》」「賢《けん》」

接頭語（第一巻《かん》P18）に「貴」「尊」「玉」「令」「高」「芳」「賢」などを付けると「尊敬語《そんけいご》」になります。

字にそれぞれ
相手を敬《うやま》う
意味があるんですね。

**それぞれ相手を敬《うやま》う意味**

貴《き》＝身分が高い。

尊《そん》＝神聖《しんせい》、高貴《こうき》、高徳《こうとく》などを表し、敬《うやま》う。

玉《ぎょく》＝美しい宝石《ほうせき》のように尊《たっと》ばれること。

令《れい》＝良いこと、めでたい。

高《こう》＝人としてすぐれていること。

芳《ほう》＝良いにおい、良い評判《ひょうばん》。

賢《けん》＝賢《かしこ》いこと。賢い人。

貴社（きしゃ）
尊父（そんぷ）
玉札（ぎょくさつ）
令嬢（れいじょう）
高名（こうめい）
芳名（ほうめい）
賢兄（けんけい）

貴社《きしゃ》＝相手の会社を上げる言葉。
尊父《そんぷ》＝他人の父親を敬《うやま》って上げる言葉。
玉札《ぎょくさつ》＝他人を敬って、その手紙を上げて言う言葉。
令嬢《れいじょう》＝他人の娘《むすめ》を上げる言葉。
高名《こうめい》＝相手を敬ってその名前を上げる言葉。
芳名《ほうめい》＝相手の名前を上げる表現。
賢兄《けんけい》＝他人の兄を上げる言葉。

# ●カンちがい「尊敬語《そんけいご》」「二重敬語《けいご》」は不適切《ふてきせつ》です

ひとつの語に、同じ種類の敬語を二重に使ったものを「二重敬語」と言います。例えば、「お読みになられる」は、「読む」を「お読みになる」と「尊敬語」にした上で、さらに「尊敬語」の「……れる」を加えたもので「二重敬語」となります。
一般的には「二重敬語」は、くどく感じるので、避《さ》けるべき表現とされています。

**習慣《しゅうかん》として認《みと》められている「二重敬語《けいご》」**

基本原則《きほんげんそく》として「二重敬語」は正しくないとされながら、習慣《しゅうかん》として認《みと》められている言葉もあります。「お召《め》し上がりになる」、「お見えになる」（尊敬語《そんけいご》）、「お伺《うかが》いする」、「お伺いいたす」、「お伺い申し上げる」（謙譲語《けんじょうご》）などです。

## ●二重敬語の例

「先生がお越《こ》しになられました」△

「先生がお越しになりました」○

「ご覧《らん》になられますか」△

「ご覧になりますか」○

先生が
お越《こ》しに
なりました。

## ●カンちがい「尊敬語《そんけいご》」「敬語連結《けいごれんけつ》」は認《みと》められます

「二重敬語《にじゅうけいご》」は不適切《ふてきせつ》であると学びましたが、二つ(以上)の語をそれぞれ敬語にして、接続助詞《せつぞくじょし》「て」でつなげたものは「敬語連結」と呼びます。

例えば、「お読みになっていらっしゃる」は、「読んでいる」の「読む」を「お読みになる」に、「いる」を「いらっしゃる」にして「て」ではさんで連結したものです。

つまり、「読む」「いる」という二つの語をそれぞれ別々に敬語(この場合はどちらも尊敬語)にしてつなげたもので二重敬語には当たらず、敬語として認められます。

**敬語連結《けいごれんけつ》とならない例**

「先生は私《わたし》をご案内してくださった」、「私は先生にご案内していただいた」は、「先生が私を案内する」ことを「謙譲語《けんじょうご》」の「…ていただく」で述《の》べているため、先生を下げることによって、「私」を上げる結果になるので不適切《ふてきせつ》です(第三巻《かん》P34)。

「お読みになっていらっしゃる」◯

「読んでいる」の「読む」「いる」をそれぞれ別々に尊敬語《そんけいご》にしています。

「お読みになってくださる」◯

「読んでくれる」の「読む」「くれる」をそれぞれ別々に尊敬語にしています。

「お読みになっていただく」◯

「読んでもらう」の「読む」を尊敬語に、「もらう」を謙譲語《けんじょうご》の「いただく」にしています。尊敬語と謙譲語の連結ですが、上げる対象が同じ相手側ですので、適切だと言えます。

「ご案内してさしあげる」◯

「案内してあげる」の「案内する」「あげる」をそれぞれ別々に謙譲語にしています。

先生を
ご案内して
さしあげる。

## ●カンちがい「尊敬語《そんけいご》」＋擬音語《ぎおんご》、擬態語《ぎたいご》、外来語、＋「……する」

「……する」は、基本的《きほんてき》に漢語に付いて動詞《どうし》にする働きを持っています。さらに、「……する」は、擬音語《ぎおんご》、擬態語《ぎたいご》にも付きますし、外来語にも付きます。

それぞれの意味は通じますが、長く使われてきた言葉ではないので、敬語表現《けいごひょうげん》になりにくい面がありますとは言え、言葉は、時代や社会環境《かんきょう》によって変わります。今後どこまでが認《みと》められていくか、はっきりと言えない面もあります。

**擬音語《ぎおんご》、擬態語《ぎたいご》**

擬音語は、状態《じょうたい》を音で表した言葉。

ガタガタ、プシュー、ワンワンなどです。

擬態語は音の出ない状態を音で表した言葉。

ばらばら、つるつる、ぐずぐずなどです。

## ●擬音語、擬態語

「ドキドキする」「ふらふらする」◯

「ドキドキしていらっしゃる」「ふらふらされる」は認められています。

## ●外来語

「キャッチする」「メールする」◯

「幅《はば》広い情報《じょうほう》をキャッチされる」「仕事のメールをされる」は認められています。

## ●若者《わかもの》言葉

「ＯＬする」「スマホする」△

流行語的な要素《ようそ》が強く、敬語にはなじみません。

「先輩《せんぱい》がＯＬされる」「先生がスマホされる」は、文法的には成立し、意味がわからないではありませんが、敬語表現としてはまだ無理があります。

スマホされる
う〜ん
敬語かなあ。

# 「さん」「様」「氏」「殿《どの》」などを名称《めいしょう》や名前の後に付けて敬意《けいい》を表します

名詞《めいし》に接尾語《せつびご》の「さん」「様」を付けると敬意を表現《ひょうげん》する敬称《けいしょう》になります。個人《こじん》の名前には、「さん」「様」「氏」「殿」を付けることで、敬意を表します。

また相手が、組織《そしき》や団体《だんたい》の場合、「さん」「様」「殿」を付けると同じように敬称となります。

ただし「殿」は、昔は身分の高い人に対して使いましたが、現在《げんざい》では、相手の立場が自分より下の場合に使われるようになった言葉です（敬意低減《ていげん》の法則第一巻《かん》Ｐ14）。

**接尾語《せつびご》とは**

接尾語とは、語句の後に付ける、言葉です。それだけで使う言葉ではありません。

●名詞＋「さん」「様」

おばさん

運転手さん

神様

●個人の名前＋「さん」「様」「氏」「殿」

●組織・団体

ダンス協会さん

少年野球団様

株式会社《かぶしきがいしゃ》自転車製造《せいぞう》殿

# 役職名《やくしょくめい》、肩書《かたが》きを接尾語《せつびご》として付けると敬称《けいしょう》になります

「先生」「校長先生」「コーチ」「監督《かんとく》」「店長」「マネージャー」「主任《しゅにん》」「課長」「部長」「社長」「顧問《こもん》」「理事」「市長」「委員」「議員」「館長」「駅長」など、相手の役職名、肩書きを名前や名字の後に、接尾語（P44）として付けると敬称となり、その人に対する尊敬《そんけい》の気持ちを表現《ひょうげん》できます。

鈴木《すずき》　一朗《いちろう》→鈴木　一朗選手（鈴木選手）

吉田《よしだ》　茂《しげる》→吉田　茂首相（総理大臣《そうりだいじん》）、
吉田首相（総理大臣）

高橋　善一《よしかず》→高橋　善一駅長（高橋駅長）

「すずきいちろう」は、普通語《ふつうご》、「すずきいちろう選手」は、敬称《けいしょう》になります。

# 「五つの敬語」第二巻
## 尊敬語

参考資料
『敬語の指針』文部科学省文化審議会答申　平成 19 年 2 月 2 日
『放送で使われる敬語と視聴者の意識』（NHK 放送文化研究所）
『敬語速効マスター』鈴木昭夫（日本実業出版社）
『敬語の使い方』ミニマル＋ BLOCKBUSTER　監修：磯部らん（彩図社）
『カンちがい敬語の辞典』西谷裕子（東京堂出版）
『小学生のまんが敬語辞典』山本真吾監修（学研教育出版）
『マンガでおぼえる敬語』齋藤孝（岩崎書店）
『笑う敬語術』関根健一（勁草書房）
『大辞林（第三版）』（三省堂）

2016 年 12 月初版
2016 年 12 月第 1 刷発行

監　修　小池　保
制　作　EDIX
イラスト　田中　美華、熊アート

発行者　齋藤　廣達
編　集　吉田　明彦
発行所　株式会社 理論社
〒103-0001　東京都中央区日本橋小伝馬町 9-10
電話　営業 03-6264-8890　編集 03-6264-8891
URL http://www.rironsha.com

印刷・製本　図書印刷株式会社

ISBN978-4-652-20182-4 NDC815 B5判　27cm 47p